RITA LEE

favoRita

GLOBOLIVROS

Olha eu aqui, tão longe de mim aqui mesmo, vivendo o momento "parece que foi ontem". Tipo um filme de aventura no qual me vejo novamente sendo quem fui e por onde andei. Eis algumas lembranças que escolhi do meu tempo de cigana. Com convidados especialíssimos e, mais uma vez, com a presença do meu querido Phantom, pontuando com informações descoladas do fundo do baú. Dê um folheada enquanto tomamos um cafezinho, comemorando meus 70 anos. Tchin-tchin!

LOVELEE RITA
IN THE SKY WITH DIAMONDS

Certa vez, não lembro onde nem quando, encontrei com la bella Sonia Braga, que me presenteou com um "body" cor de pele de um material igual ao daquelas meias arrastão, só que de corpo inteiro. Eu ia ter uma sessão de fotos com Vania Toledo e pensei em usar a tal peça, mas, ao vesti-la, me vi praticamente nua, então pensei que uma boa saída seria se a estilista Barbara Hulanicki, que na época morava em São Paulo, bordasse umas estrelas de lantejoulas prateadas cobrindo as partes mais reveladoras de minha anatomia. Mesmo assim dá para ver minha cara de quem não estava totalmente confortável dentro daquela persona peladona.

Final dos 70's: lantejoulas e mais nada

Grávida do Beto, em 1977

Às vezes era chique usar um longo

Rita Lee & Roberto de Carvalho: amor, parceria musical e pose para dois momentos distintos

gato preto dá sorte

Hummm...

Mulher Mistério

JABUTI

Vivi tão intensamente minha infância, juventude e maturidade que mal percebi o movimento sutil que me transformou nesta velha jabuti. Dou mais valor à imortalidade quando ainda estou viva. Houve uma época em que mulheres trintonas davam a impressão de já muito vividas, a distância etária entre elas e eu parecia abismal, quando na realidade eram pouco mais de vinte anos o que nos separava. As desquitadas eram tidas como perigosas e sempre evitadas, "elas não observaram os princípios básicos do casamento", comentavam as viúvas, "nenhum homem vai querer uma mulher independente", diziam as ainda casadas. Minha desquitada favorita era a prima Ruth, uma morena voluptuosa que fumava e bebia, extrapolava o contorno do batom nos lábios e usava vestidos justos e floridos. Quando me punha no colo, logo vinha uma tia caidaça me "salvar" de suas garras, o que me deixava frustrada porque eu adorava sentir o perfume que exalava quando prima Ruth soltava uma risada escandalosa afirmando que a madrasta era muito mais bonita do que a Branca de Neve, com o que concordo até hoje. Sem falar nas discretas primas solteironas que na verdade eram sapatas e não menos envoltas em fofocas maldosas sobre suas esquisitices pessoais.

Durante toda a minha vida, fui cercada por mulheres loucas, a começar pelas cinco de minha família; minha mãe, minha madrinha e minhas três irmãs mais velhas, cada uma com seus talentos e manias que faziam com que a vida nunca fosse monótona. Morávamos numa casa geminada, ao lado de vizinhas queridas, as simpáticas espanholas doña Mercedes e doña Elenita. Uma ou duas vezes por ano las hermanas recebiam em casa uma figuraça cigana, toda empetecada, de cabelo preto azulado, chamada madame Zoraide, que jogava cartas e fazia leitura de mão. Certa vez, numa das visitas da cartomante, minha mãe me levou junto e ouviu dela "essa sua menina vai dar muito trabalho, pense na possibilidade de matriculá-la num convento ou num colégio interno". Nunca apareceu uma oportunidade de me vingar adequadamente de madame Zoraide, o máximo que consegui foi cuspir dentro de sua bolsa de mão.

Na verdade, minha rua era uma espécie de *A Praça é Nossa* repleta de personagens femininas desfilando para nenhum Almodóvar botar defeito. Dona Diva e seu marido corno; dona Elisa e seu marido gay – que, como todo mundo sabia, transava com o filho caçula de doña Mercedes; a *salerosa* dançarina da noite Nancy - que chegava em casa de madrugada descabelada e despida para matar. Dona Nair e sua filha gordinha, que invejavam nossa família de magrelas enquanto minha mãe cortou meu cabelo (uma simpatia da época) pois queria mesmo que eu engordasse; a misteriosa garota Ivonete, que chamava sua avó mal-encarada de mãe, e Norma, a bonitinha do pedaço, que trocava figurinhas de artistas com minhas irmãs. A insuportável velhaca ranzinza Sophia, que diziam escravizar as netas, e dona Anunciata, a costureira/ cabeleireira/ benzedeira viciada em doces. Quando eu chegava da escola aos sábados, a menina autista Ophelia, minha chapa no carrinho de rolimã, vinha ao nosso portão e berrava longos "Riiiiitaaaaaaaaaa", para desespero do meu pai. Logo ao lado dela, morava a precoce e antipática Luizinha, que tinha minha idade, mas parecia moça feita com seios exuberantes e cujo irmão esquisitão vivia comendo cebola crua na calçada.

Dona Lourdes, a distinta diretora do meu colégio, tinha uma casa de tijolinho à vista na esquina. E havia Silvia, minha reclusa amiguinha negra, filha de uma mãe de santo que às vezes me convidava para filar uma boia considerada etnicamente exótica. Lembro tão bem de dona Nanette, uma solteirona francesa que uma vez ao ano cedia sua casa para os habitantes da rua celebrarem o dia de São José, quando cantávamos o hino "São José, a vós nosso amor, sede nosso bom protetor, aumentai o nosso fervor". Eu aguentava firme as demoradas e enfadonhas rezas porque logo a seguir dona Nanette oferecia deliciosos canapés aos devotos. Em troca, minha mãe lhe emprestava por uns dias sua imagem de Nossa Senhora Aparecida, benzida pelo bispo e em cujo manto de veludo azul os marianos penduravam pequenos broches, alfinetes dourados e pérolas falsas.

Quase no fim da rua morava uma família italiana ultracatólica que teve trocentos filhos em série e as vizinhas invejavam a silhueta esbelta da mãe deles quando ela desfilava feito dona pata e seus patinhos. No quarteirão abaixo, ficava a vila São Jorge, onde morava um cliente do meu pai que sempre nos convidava para as festinhas juninas do pedaço. Em compensação, tínhamos que aturar sua filha chata que apelidamos de "a menina merdinha" cujo irmão era parecido com James Dean.

Eu tinha uma tia em Rio Claro que era espírita (todo mundo tinha uma tia espírita) e da qual eu morria de medo porque diziam que ela conversava com gente morta. Um dia, me levaram numa mesa branca para tomar passe por conta da minha hiperatividade que tanto infernizava os adultos. Fiquei comportada observando-a conduzir a cerimônia até que ela "recebeu" o espírito do meu avô e me deu um esporro pedindo para eu maneirar no meu comportamento. Naquele momento, saquei que a tia era uma embusteira porque falava sem o carregado sotaque italiano tão característico do meu avô e, sem querer querendo, comecei a rir alto. Dizem que fui retirada de cena rapidamente e ao chegar em casa comecei a macaquear os trejeitos que havia aprendido com a tia. E fiz tão bem o papel que começaram a acreditar que eu era médium.

Ainda na minha rua morava um casal de japoneses, não diziam bom dia a ninguém e passavam juntos pelos habitantes do bairro com a cabeça baixa a caminho da peixaria onde trabalhavam. Ela, sempre uns passinhos atrás, parecia uma gueixa decadente que, segundo diziam, era abusada pelo marido dominador e cruel que apenas abria a loja de manhã, voltava para casa e lá ficava enclausurado enquanto a esposa dava duro. Um belo dia, eis que começaram a notar a mulher bem mais aprumada que de costume, mais bem-humorada, dava bom dia e até sorria. Logo surgiu o boato de que o guarda noturno a vira saindo de casa carregando uma mala grande e pesada na calada da noite e desde então o marido nunca mais fora visto. A quem lhe perguntava, ela dizia que ele havia decidido voltar ao Japão, mas que não queria ser vista como uma mulher abandonada agora que comandava os negócios da peixaria. Corria à boca pequena que ela o teria matado, desmembrado, salgado o corpo dele e vendido os melhores pedaços como postas do bacalhau que estivemos comendo na última Sexta-Feira da Paixão. E tinha Mariazinha, uma micra negra velhinha da igreja que andava sempre com uma Bíblia debaixo do braço, mas que não sabia ler e nem escrever. Todo domingo ia almoçar em casa depois da missa das onze.

As mulheres de casa não eram menos "ezkizitinhas". Chesa, minha mãe, quando tomava uma taça de vinho, começava a tocar piano mandando torpedo em italiano ao meu pai, que imediatamente se retirava de cena, corado. Balú, minha madrinha, falava sozinha com uma amiga imaginária enquanto cozinhava, e Carú, minha mana adotiva, tinha mania de pintar a cozinha de quinze em quinze dias. Virginia e Mary, minhas irmãs de sangue, cada uma na sua e ambas apaixonadas por artistas estranhos que ninguém conhecia muito bem e as duas toda semana forravam a parede ao lado de suas camas com fotos e declarações de amor eterno.

As mulheres dos anos 50 tinham tanto furor na bacurinha quanto as de hoje, só que eram mais misteriosas. Trinta anos era o limite para serem consideradas jovens, a partir disso seriam todas condenadas a virarem balzaquianas. E ai de quem não tivesse ainda arranjado marido, ou cursado o Normal para ser professora, ou se diplomado em datilografia e taquigrafia para se tornar eficiente secretária. Quando menstruavam diziam que estavam "naqueles dias" e ficavam com o humor à flor da pele, isoladas em seus quartos, se contorcendo de cólica, usando toalhinhas do tamanho de guardanapos para aparar o fluxo que, depois de lavadas, eram penduradas no varal no fundo do quintal. Mas ficavam eternamente manchadas. Em casa éramos seis fêmeas, um festival de derramamento de sangue, onde meu pai, o único varão, pisava em ovos para não se fazer visto.

No meu tempo de criança, pouquíssimas mulheres dirigiam, as que o faziam eram vistas como masculinizadas. Nos bondes, só podiam viajar dentro dos vagões; dependurar-se no estribo, jamais! Geralmente, aos sábados, dávamos um trato nos cabelos umas das outras e eu quis morrer quando certa vez inventaram de fazer permanente no meu cabelo ultraescorrido, e, para minha satisfação, dali dois dias os cachos murcharam lindamente. Eu era a manicure da casa, sabia manejar bem as ferramentinhas e passar esmalte, em troca ganhava um pacote de figurinhas do álbum da vez.

Apesar do cabresto curto, meu pai, no fundo, era um feminista de coração, dizia que o mundo das mulheres era muito mais rico por sermos feiticeiras e avisava que devíamos sempre desconfiar quando um homem se mostrasse muito "bonzinho e simpático". "Mulheres que querem ser iguais aos homens não têm muita ambição", recomendava ele.

Olha eu aqui rememorando cenas do meu filme que não chegou a um final porque neste momento ainda me encontro viva... não repare, ando abrindo as torneiras das memórias. Dizem que é assim mesmo, que isso acontece com gente velha, que embaralhamos fatos desimportantes do passado como se tivessem acabado de acontecer e nos percebemos tão cheios de lembranças de quando tínhamos vontade de viver um futuro-ficção científica, aquele futuro que eu tanto gostava de imaginar...

"Rita, já te falei quinhentas milhares de vezes para você não exagerar!", digo eu para mim mesma me perguntando quantas vezes meu coração já bateu nestes 70 anos de vida. Sou aquela velha jabuti das ilhas Galápagos dizendo a Darwin que realmente sobrevivi porque me adaptei às idiossincrasias do meio ambiente, que nestes séculos todos tive momentos de euforia e depressão, mas que no fim ainda me sobra força para saborear devagarinho uma banana. Acho que não verei acontecer a dominação da raça humana pela Inteligência Artificial. Sou apaixonada por robôs, parecem bichinhos indefesos que dizem não ter consciência. Pois eu seria capaz de abandonar tudo e fugir com eles para as montanhas do Himalaia, longe da maldade dos sapiens, e fundar uma colônia de androides.

Você pode pensar que minha velha jabuti está entregando os pontos. Não, ela apenas vive frugalmente dentro de seu velho casco torcendo para que a morte seja um breve suspiro, agradecendo às inspirações que me mantiveram viva sem perceber que respirava. Quando criança, me achava imortal, prevendo zilhões de aventuras pela frente quando o tempo passava devagar, me dando uma certa ansiedade de querer fazer tantas coisas quanto sonhasse minha vã existência. Eu fui uma jovem jabuti cheia de entusiasmo e curiosidade, meu casco era viçoso e leve. Mal sabia eu dos amigos do peito que me dariam facada nas costas, das tantas vezes que entraria numa canoa furada, de quantos becos sem saída, sem cano de escape, o tal negócio de você planejar sua vida enquanto Deus por trás dá uma risadinha sarcástica puxando seu tapete.

E aí, vem sempre um otimista dizer que aprendemos com nossos erros, que só temos de agradecer por estarmos vivos e outras chatices. Pelo menos tenho o consolo de que sempre posso servir de mau exemplo e, como dizia a otimista: "eu era disléxica, mas hoje estou KO". Se tivesse que voltar atrás, teria feito um monte de coisas diferentes, como daquela vez que fingi uma convulsão para não ir à missa ao invés de confessar à minha mãe que queria ficar assistindo à TV, ou quando não percebi a sorte que tive quando fui expulsa de uma banda da qual fazia parte e me desesperei com ideias suicidas. Quanto chororô à toa, quanto sofrimento inútil, perdi um tempão reclamando de coisas insignificantes ao invés de empatar meu tempo com coisas mais dignificantes.

Meu pecado capital sempre foi a preguiça, ainda mais hoje quando já deveria estar aprendendo, por exemplo, sobre *bitcoin* e tantas outras modernidades que estão acontecendo numa velocidade avassaladora. Nos anos 1950, se alguém me descrevesse como funcionava um fax, eu ia achar que o cara era doido. Hoje, fax é obsoleto. As maravilhas futuristas afirmando que a velhice não mais existirá me comovem até certo ponto, me acostumei à ideia de que um dia eu vou embora daqui, e não quero outra vida. Deusmelivreguarde viver 150 anos esmolando respirar apenas para manter meu ego, esse grande causador de problemas.

Por outro lado, acho fascinante me transformar numa *cyborg* fundindo meu corpo às máquinas e virar uma *transformer* capaz de viajar pelas estrelas sem dar pane. Torço para que a Inteligência Artificial tome o poder e escravize os sapiens para que aprendam a não bancar os espertinhos superiores aos outros reinos do planeta.

Viver dá barato, vamos plantar vida. A gente se acostuma com nossa cara no espelho e só quando vemos a própria imagem em fotografia percebemos o quanto o tempo está sendo Cruela Cruel. Envelhecer é um susto atrás do outro - e olha que não posso reclamar depois dos anos abusando do meu corpo, entornando todo tipo de droga. Eu até que virei uma velhinha fofa, ora amanhecendo com dor nas costas, ora com uma bolsa debaixo dos olhos, ora com um vinco na boca que não estava lá semana passada, ora isso, ora aquilo. E assim caminha minha humanidade se defrontando a cada dia com uma decadência física.

Entendo quem apela às plásticas, botoxes e oskimbau para retardar o tempo: não é fácil deixar a máscara cair. No meu caso, o que bateu foi uma curiosidade de acompanhar o processo de perto e para isso teria que primeiro dar adeus aos palcos, algo que já estava na lista das minhas prioridades desde os primórdios da menopower. Portanto, não doeu quando decidi não querer compartilhar minha longevidade com o distinto público, seria uma aventura só minha. Haja coragem para não deixar a peteca cair quando o mundo todo se curva diante da ditadura da juventude.

Mulher quando quer mudar de vida sempre começa pelo cabelo, não é mesmo? Foi assim que um belo dia parei de tingi-los de vermelho-menstruação e percebi que os fios nasciam mais viçosos,

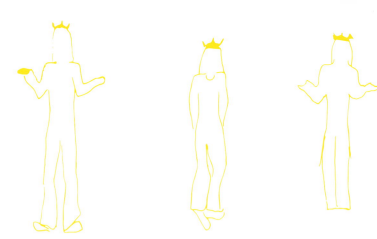

menos quebradiços. Assim que a raiz ficou branca encarei a primeira visão de minha aparência meio caidaça, mas fiquei firme e segurei a onda, fiz um corte à la Beatles para apressar o processo, mas cada vez mais ficava a cara do Ray Conniff. À medida em que o cabelo crescia, eu ia cortando até que os vestígios do vermelho sumiram de vez, hoje os fios estão batendo nos ombros e eu me vejo como uma prima do Merlin. Bastou sair uma foto minha com cabelo branco para que algumas peruas se indignassem dizendo que eu deveria manter o vermelhão a vida inteira, que era minha marca registrada, que eu estava me descuidando. Ou seja: queriam que eu, uma mutante, fosse eternamente a mesma pessoa de sempre. Dãh. Envelhecer não é um privilégio, é uma força-tarefa, haja inteligência emocional para segurar a peruca grisalha com classe e elegância.

O que mais assusta na nova condição de velha é a pele que vai secando feito uva-passa, mas o que anda pegando é a coitada da coluna que, tendo carregado este esqueleto há 70 anos, dos quais 50 deles pulando no palco, teve um preço alto, ainda mais dentro da minha turrice ao me recusar a fazer qualquer exercício físico para ajudar na postura cada vez mais encovada pela escoliose.

Uma época atrás eu até tentei um fisioterapeuta que vinha em casa, mas acabei por cabular as aulas inventando que ora estava gripada, ora com dor de dente. Tentei pilates, mas tenho uma hérnia de disco prestes a estourar e meu ortopedista me aconselhou a evitar. Mentira. Eu é que parei de ir à academia por pura preguiça. Duas vezes por semana, me submetia a tomar porradas de shiatsu, até que impliquei com a massagista porque não parava de falar sobre sua vida pessoal e ficava me fustigando para falar da minha. Isso tudo para dizer o quanto sou cabeça-dura no que diz respeito a cuidar do meu corpo, agora que já me encontro mais pra lá do que pra cá.

Dizem que com a proximidade da morte nos tornamos pessoas melhores, no meu caso, fico cada dia mais rabugenta. Gostaria de saber quanto tempo me resta, apesar de acreditar que a surpresa da morte seja misericórdia divina para a gente não pirar de vez. E, só por garantia, tenho feito aquela coisa de dizer "obrigada-desculpe-eu-te-amo" para quem aparece ao meu lado, seja humano ou não.

Vou negociar com a morte tipo "veio me buscar? então deixa tomar um banho e passar um batonzinho para mostrar que morri limpinha e arrumadinha". É um reconforto dizer a mim mesma "eu, que pretendia viver para sempre, até agora fui bem". Ou de me imaginar chegando na porta da morte, tocar a campainha e sair correndo. Ela deve odiar isso. Bem-aventurados os pessimistas, pois é deles o reino das estatísticas. Numa dessas, eu morro e nem vou ter tempo de reclamar.

Dias atrás, minha neta ficou mocinha e minha jabuti não sabia se lhe dava parabéns ou pêsames; parabéns pelo funcionamento perfeito de seu corpo e pêsames por ter de enfrentar cólicas e TPMs por anos e anos adiante. Menstruar faz parte da feitiçaria feminina, um ritual mensal de purificação quando ficamos todas à beira de um ataque de nervos. Escrevi Cor-de-Rosa Choque sobre como as fêmeas são bichos esquisitos que sangram dias seguidos e não morrem, mais adiante, em Menopower, eu anunciava que estava ansiosa para ficar "sempre livre" de derramamentos de sangue, derrubando de vez o assunto tabu que tanto constrangia as colegas contemporâneas. Menopausa também faz parte da feitiçaria e é quando entramos na fase da feminilidade sutil que se alimenta de presságios e sopros, a observação do mundo ao redor, uma observação mais etérea, mas não menos envolvente, o corpo físico perde espaço para o corpo astral, *hay que tener cojones* para trocar o tesão sexual pelo existencial. Apesar de ter vivenciado com resignação as ritualísticas do "incômodo" (como se chamava na minha época) e suas cólicas cruéis, minha jabuti recebeu com grande alívio o fim dos seus cinquenta e cinco anos de menstruação.

Lembrei agora daquele filme *Soylent Green*, onde os idosos, em troca de matar a saudade ao assistir a um cineminha revivendo cenas de sua época, doavam seus corpos para transformá-los em ração e alimentar os jovens. Como não sou saudosista, eu jamais fecharia um negócio desses, mato a saudade com os arquivos que guardo dentro da minha cabeça e que posso ativá-los a qualquer momento quando quiser vivenciar novamente lembranças do meu tempo de criança, adolescente e adulta. Mesmo porque tenho a impressão de que meu corpo franzino não renderia nem um churrasquinho.

Mas não é só de calamidades físicas que vive minha jabuti. Neste momento, que ainda estou viva e cheia de graça, percebo que ser idosa nos dias de hoje tem suas vantagens além de furar a fila do banco. Assim como todo vício, a "cura" começa quando você aceita a realidade do calendário: sim, o tempo passou e você já não mais é aquela jovem senhora, você é uma velha mesmo. Recusar-se a entender esse primeiro passo é retardar o processo de renascimento. Uma vez que você realiza essa nova fase, acontece o milagre da serenidade de viver no eterno presente, adeus passado e o futuro ficará no lucro. A partir de agora, é observar o micro e macro multiversos que nos rodeiam e mergulhar de cabeça nos detalhes que fazem parte da grande aventura divina.

E isso não significa entregar o ouro, significa viver intensamente uma fase em que a cabeça está mais afiada do que nunca, um tempo de novas descobertas no plano do que se costuma chamar de espiritual e que me faz lembrar dos tropicalistas afirmando que "é preciso estar atento e forte, não temos tempo de temer a morte".

Apesar de os geriatras dizerem que é recomendável, o que estraga a vida, e costuma acontecer muito, é estabelecer uma rotina rígida. Isso acaba com a brincadeira de cada dia descobrir uma aventura diferente para meditar sobre. Não tenho saco de ouvir jovens médicos cagando regras e "ensinando" idosos o que devem fazer para ser feliz. E

são sempre as mesmices de dieta alimentar, exercícios físicos, sono suficiente e sem vícios. Muda o disco que eu quero mais é que me deixem em paz e viver o que me resta de vida do jeito que bem entender com meu sedentarismo, comendo pastel de feira, dormindo doze horas por dia e pitando meu cigarrinho de tabaco.

Você pode achar que sou uma velhinha mal-humorada, mas jamais me verá sendo uma idosinha monótona. Aprecio muito a presença de jovens por perto quando me ensinam a resolver problemas com meu iPhone, o que me faz entender que não passo de uma analfavirtual que só sabe escrever num iPad obsoleto de dez anos de idade. Sim, sou fixa para certas manias e mutante para outras.

Passei a maior parte da minha vida carente de verdadeiros amigos, depois que fiquei famosa então a coisa piorou, a impressão que ficou foi que só chegavam perto de mim para arrancar um pedaço, nunca para oferecer uma amizade sem qualquer interesse. Hoje conto nos dedos de uma só mão os que me querem bem apenas por eu ser uma-pessoa-comum-um-filho-de-Deus-nessa-canoa-furada-remando-contra-a-maré. Como quando nas raríssimas vezes que saio de casa e encontro pessoas que ignoram quem sou, passo por momentos emocionantes levando altos papos sobre o panorama político ou o preço do pãozinho francês. Os poucos atentos que me reconhecem geralmente pedem para tirar uma selfie ou cobram que volte a fazer show para combater o baixo nível da MPB. Fato é que no meio da multidão, um velho sempre passeia meio invisível. O que na minha opinião é uma vantagem porque não chamamos atenção enquanto assistimos ao teatro-vivo fazendo papel de coadjuvante.

No momento, minha cabeça está fora do ar, deixe sua mensagem... É que não estou mais aceitando coisas que não posso mudar, apenas mudando coisas que não consigo aceitar. O encanto nunca acaba enquanto você não cessar de se encantar. Aqui vai o conselho da minha velha jabuti para jovens tartaruguinhas: usem fio dental e escovem bem os dentes, assim você manterá a maioria deles quando tiver 70 anos como eu.

E não se esqueçam: Carpe Diem e Carpe Noitem!

Rita & Roberto '79

A explosão da dupla no
começo dos anos 80

Modelito oncinha para
o Flerte Fatal (1987)

"Sou fã número um do cantor popular, da vida de artista, da santa padroeira, da Avenida Paulista"
Avenida Paulista, de Rita Lee e Roberto de Carvalho, gravada por Isaura Garcia em 1979

DOSSIÊ
RITA *PERIGOSA*

Rebelde, hippie, crítica, inadequada, perigosa, incitadora à rebelião popular, contrária aos bons costumes, de linguajar vulgar, maliciosa e deseducativa, imprópria ao povo, debochada... Esses são alguns dos termos usados por censores da época da ditadura para descrever Rita e suas composições. Finos, não?

Rita - cujo levantamento publicado em 1985 a colocava como a artista mais proibida da época - tem o nome citado em pelo menos 250 documentos. Em um dos primeiros deles, um confidencial de 1969, as autoridades pedem os antecedentes de Rita, mostrando que já estavam de olho naquela loirinha. O tempo passa e as composições da garota só pioram a marcação cerrada. Até mesmo seu clássico *Lança Perfume* (1980) foi considerado perigoso e chegou a ser proibido. Foi liberado somente depois de recursos e de muita insistência. Algumas composições, entretanto, não tiveram a mesma sorte e permanecem inéditas.

Nem mesmo seus shows e suas aparições na TV escapavam do crivo. A fama da "roqueira contra o establishment" era tamanha que por pouco não tiveram que cortar um trecho de seu especial *Saúde* (1981), para a TV Globo. Rita – incorporando sua personagem Regina Célia – elogiava a beleza do "garotão da câmera". Os chamados técnicos de censura entenderam que ela dizia que o "garotão é bom de cama". Tanta perseguição e não conseguiram identificar uma sacanagem gostosa que a própria Rita aprontou para cima dos censores: ela cantou um trecho proibido de *Banho de Espuma* e "bolinando com água e sabão" foi ao ar para milhares de telespectadores em horário nobre, no mesmo especial. Mais à frente, publicaremos os documentos que mostram que a música, um dos maiores hits daquele ano, chegou a ser vetada e teve que ser modificada para posterior liberação.

A propósito, que coisa feia, nem me apresentei: sou o Phantom. Quem leu a autobiografia de Rita já me conhece. A exemplo do que fiz por lá, estou aqui para entregar umas informações descoladas do baú. E agora, declaro aberta, nesta seção, o proibidão de Rita. Um dossiê da perigosa figura para os censores da ditadura, justamente por fazer um monte de gente feliz.

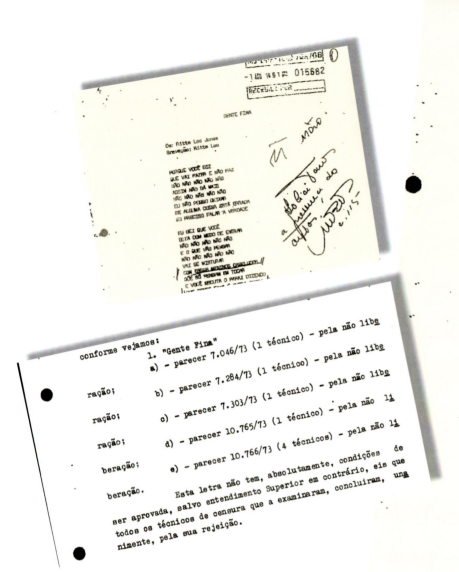

GENTE FINA (1973)

"Solicitamos a presença do autor." É com esse tom bastante ameaçador – escrito à mão, logo no alto do documento com a letra da música – que foi enviado à Rita o recado sobre a letra de *Gente Fina*.

A música, gravada para o disco *Tutti Frutti* (1973 e nunca lançado oficialmente), foi uma das mais canetadas pelos censores. E, por causa do teor considerado ameaçador, foi submetida ao crivo de vários técnicos – como eram chamados os funcionários da Divisão de Censura de Diversões Públicas (DCDP). "Esta letra não tem, absolutamente, condições de ser aprovada (...) todos os técnicos de censura que a examinaram, concluiram, unanimente (sic), pela sua rejeição", reproduz uma das páginas. Entre os versos (veja a música toda acima), Rita canta:

"Não não não não não
Vai se misturar
Com esses meninos cabeludos
Que só pensam em tocar
E você escuta o papai dizendo
Que gente fina é outra coisa"

As opiniões sobre a letra são assustadoras. Rita é considerada um grande perigo. "A letra musical ora examinada

Documento 1 (esquerda)

MINISTÉRIO DA JUSTIÇA
DEPARTAMENTO DE POLÍCIA FEDERAL
DIVISÃO DE CENSURA DE DIVERSÕES PÚBLICAS

Parecer Nº 10766/73

Título: GENTE FINA É OUTRA COISA - De Rita Lee Jones

Classificação Etária: PELA NÃO LIBERAÇÃO   Com cortes: ......

Espécie: Letra musical   Livre P/Exportação: ......

Boa Qualidade: ......   Legendado: ......

Dublado: ....

Vedada a Exploração Comercial: SIM

Cenas: ......

Gênero: ......

Época: Atual

Linguagem: Indutiva

Tema: Rapúdio a um "esbeleshiment" social.

Personagem: ......

Mensagem: Negativa

Enredo: ......

2: CONCLUSÃO: A letra musical ora examinada apresenta
kxxxPartex conotação anárquica, principalmente nos últimos versos e sua liberação poderia acarretar uma desagregação social e familiar, de consequências negativas. Calcados no Decreto 20.493, art. 41, item C,
somos pela NÃO LIBERAÇÃO.
2 - CONCLUSÃO

Brasília, 21 de novembro de 1973.

- Japira da Costa França   - Graciema Moreno da Silva
- João Camelier   - Zulaika Santos

Documento 2 (direita)

DIVISÃO DE DENSURA DE DIVERSÕES PÚBLICAS

PARECER Nº 10765/73

ESPÉCIE: Letra Musical
TÍTULO: GENTE FINA
CLASSIFICAÇÃO: NÃO LIBERAÇÃO

Realizando a análise censória da letra musical -
GENTE FINA - pude constatar que se consubstancia princípios de revolta e uma crítica picante aos costumes, e um de-
safio aos que não comungam do sistema de vida "hippie", o
que enquadra a produção na letra "c", do art.41, do Decr. //
20 493/46, por isso OPINO pela sua não liberação.

Brasília, 22 de novembro de 1973.

MARIA BEMVINDA BEZERRA
(Téc.Censura)

---

apresenta conotação anárquica, principalmente nos últimos versos, e sua liberação poderia acarretar uma desagregação social e familiar, de consequências negativas". Mais à frente: "Na letra em exame uma jovem insurge-se contra o pátrio-poder, ao tentar persuadir um amigo a desacreditar de seu pai, para juntar-se a grupo juvenil de comportamento duvidoso. Considerando tratar-se de matéria para gravação em disco, que terá grande penetração entre as diversas camadas sociais, e levando ainda em conta a sutileza dos versos, que propõem de imediato a indagação do público em torno da mensagem, manifesto-me pela sua não liberação".

Entre os papéis, é curioso notar que, a exemplo do que fez nos seus dois primeiros álbuns solo, Rita assinava as composições como Ritta Lee, com a letra T dobrada. E os censores seguem apontando as "barbaridades" propostas pela jovem compositora: "Música que teria influência perniciosa na juventude (...). O caminho imposto pela sociedade tradicional, com comportamento semelhante ao do pai, é contestado. Atitude negativa em relação a este comportamento, suponhe (sic) a sugestão do que seria positivo: engajamento no mundo marginalizado de jovens rebeldes". E, para horror da censura, a proibição vem com um adendo, pois induziria o jovem "à filiação em movimentos tipo 'hippie'". Afinal, gente fina é outra coisa.

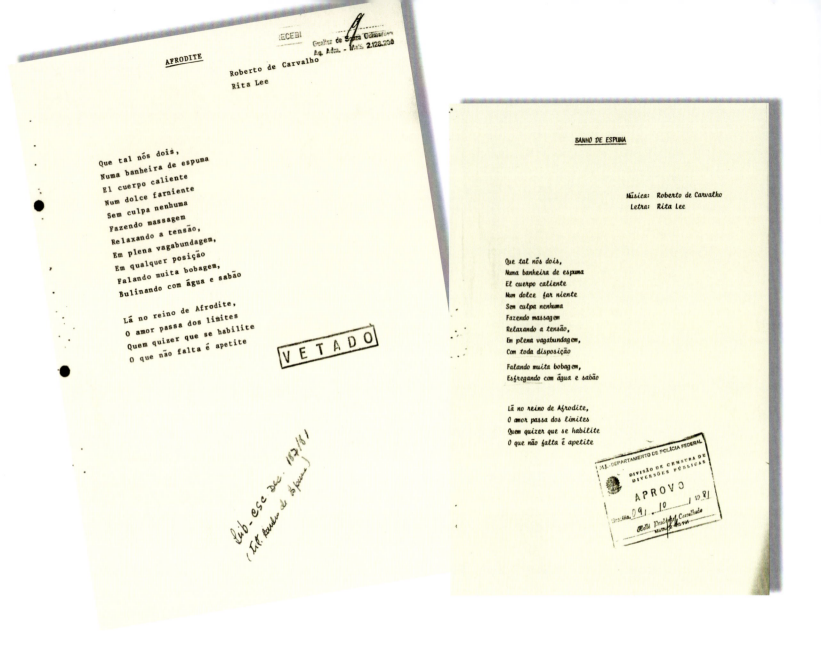

AFRODITE/ BANHO DE ESPUMA (1981)

É curioso pensar que um hit tão marcante quanto *Banho de Espuma* por pouco não caiu na vala do esquecimento. No ano de 1981, o disco *Saúde* teve pelo menos cinco músicas proibidas: *Uai Uai, Galinhagem, Favorita, Barriga da Mamãe* e *Afrodite*. *Galinhagem* virou *Tititi*, acabou liberada com recursos, sem que fosse preciso modificar a letra e foi incluída no álbum. *Favorita* também ganhou aprovação depois que Rita foi até lá explicar o que queria dizer com "me sinto dentro do túnel do amor"... *Uai Uai* foi reescrita e acabou sendo gravada por Ney Matogrosso. *Barriga da Mamãe* é outra história que contamos daqui a pouco. Mas *Afrodite*, ah, essa deu trabalho.

Implicaram com o título, implicaram com a letra. Não adiantou defender, enviar recursos, nada. A letra original – que dá pra ver direitinho nos documentos que publicamos acima – contém versos que caíram no proibidão:

"Em plena vagabundagem
Em qualquer posição
Falando muita bobagem
Bolinando com água e sabão"

Rita e Roberto levaram um puxão de orelha no texto da censura: "É transposta a barreira da conveniência, com um mergulho mais fundo no erotismo". Eles, então, mudaram o nome para *Banho de Espuma* e reenviaram a letra para análise. Nada feito. Em um terceiro momento, substituíram por uma versão mais branda, retirando o "qualquer posição" e "bolinando". Aí, ganharam o selo de aprovação, mas com a ressalva de que a música jamais poderia tocar na rádio ou na TV. E lá se vão mais recursos, reuniões com a diretoria do órgão até que, finalmente, a música foi liberada para rádios e TVs. E *Banho de Espuma* se tornou uma das canções mais tocadas daquele ano.

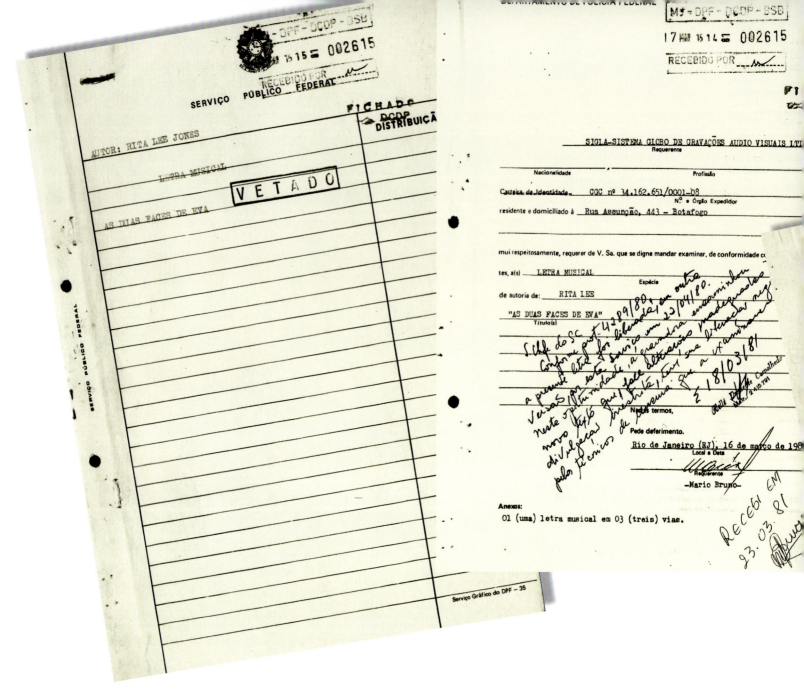

AS DUAS FACES DE EVA/ COR-DE-ROSA CHOQUE (1981-1982)

A letra desse clássico de Rita ficou mais de dois anos sendo discutida! No primeiro documento, datado de abril/ maio de 1980, ela se chamava *As Duas Faces de Eva* e foi liberada para a Globo, como abertura do *TV Mulher*. Para a música do programa, a letra era menor, sem a segunda parte, escrita posteriormente. E foi esse trecho novo que acabou se tornando motivo de uma guerra: de um lado Rita e sua gravadora na época, a Som Livre, e, do outro, os censores.

Em março de 1981, pronta para entrar em estúdio e com planos de gravá-la no disco que lançaria naquele ano, depois do estouro de *Lança Perfume* (1980), Rita enviou a nova letra para análise, com o acréscimo dos versos:

"Mulher é um bicho esquisito
Todo mês sangra
Um sexto sentido maior que a razão
Gata borralheira
Você é princesa
Dondoca é uma espécie em extinção"

Pronto. Foi o suficiente para que a criação fosse colocada na prateleira das proibidas. A letra, segundo os censores, continha "alteração inadequada" que "agrava o conteúdo", uma vez que se referia "ao ciclo menstrual da mulher, o que suscitará indagações precoces em torno do assunto". No vaivém de cartas e recursos para tentar liberar a letra, Rita é frequentemente apontada como "desquita-

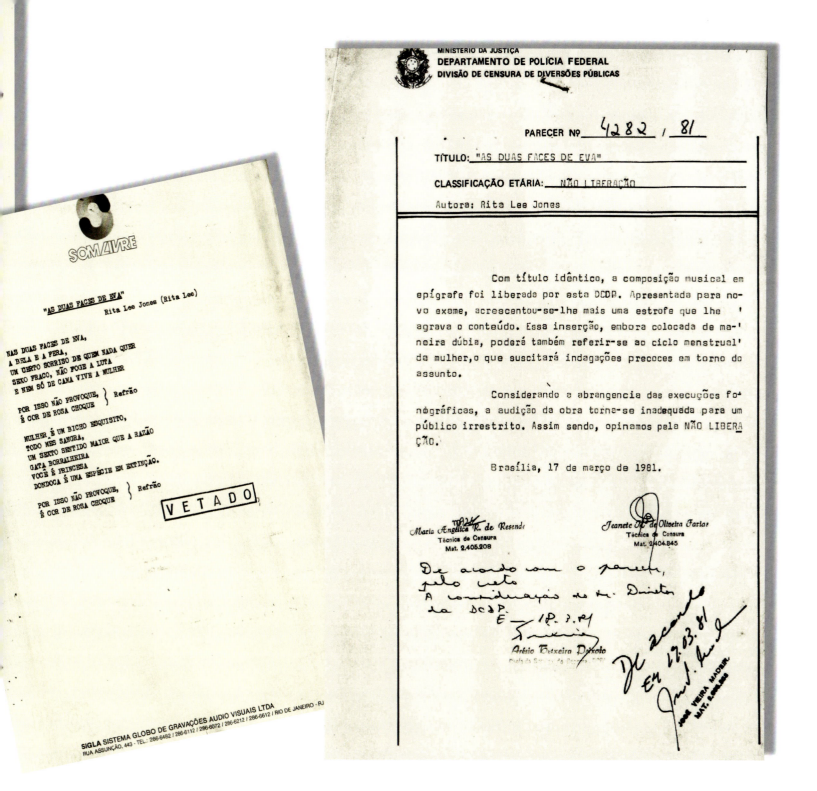

da", algo pejorativo na época. Nas entrelinhas, era importante tachar a letra como algo vil, próprio de uma roqueira perigosa e inconsequente, portanto, um dado a mais para se julgar os versos e a artista em questão...

Sem liberação, essa foi mais uma das músicas vetadas para o disco *Saúde* (1981), que sofreu várias baixas na época. No ano seguinte, a batalha pela canção se reinicia. Agora, a música, com o título alterado para *Cor-de-Rosa Choque* e com poucas modificações na letra, como a troca de "Sexo fraco" para "Sexo frágil", recebe mais um veto. Recursos de executivos da gravadora, da própria Rita e um documento do Conselho Superior de Censura, assinado pelo pesquisador Ricardo Cravo Albim, são enviados na tentativa de abrandar a decisão da diretoria da Divisão de Censura de Diversões Públicas (DCDP). "A música de Rita Lee (...) não choca, não amesquinha, nem torna vil um assunto tão caro quanto delicado à sexualidade da espécie humana", defende Albim.

A famosa e temida "Solange da Censura", como Rita se referiria à então presidente do DCDP, Solange Hernandes, em uma das próximas músicas da artista (*Arrombou o Cofre*, também proibida), finalmente libera a menstruação de *Cor-de-Rosa Choque*, mas com restrições para rádio e TV. A canção é gravada e lançada no disco seguinte, *Rita Lee e Roberto de Carvalho* (1982). É dessa mesma época a famosa indagação de Rita: "Dona Solange, a senhora não conhece Modess?", uma referência ao absorvente.

BARRIGA DA MAMÃE (1981-1982)

"Chulice." Esse foi o motivo da proibição da primeira versão de *Barriga da Mamãe*, que seria gravada em 1981. Acabou sendo liberada para o disco *Rita Lee e Roberto de Carvalho* (1982), depois de retrabalhada. A primeira versão tinha os seguintes versos:

"Ando na rua e tenho medo de ladrão
Mas se vejo a polícia eu levanto logo a mão
Desconfio que banquei a trouxa
Quando perguntaram
Se eu conhecia o Lôxas
(...)
Futebol já virou marmelada,
Briga de cartola sempre acaba em porrada
Manda-chuva bobeou leva chumbo
Trabalhador paga os pecados do mundo"

Detestaram a citação à piada do lôxas ("Aquele que te pôs nas coxas"); odiaram a palavra "porrada". "Sem condições de liberar dessa maneira", disseram na época. Uma licença poética aqui, uma substituição ali, e Rita e Roberto ganharam o "aprovo" depois de reescreverem os versos da seguinte forma:

"Ando na rua com medo de ladrão
Mas se vejo os 'hôme' eu levanto logo as mãos
Desconfio que o patrão me explora
Minha empregada pede aumento ou vai embora
(...)
Futebol tá virando chanchada
Carnaval já virou marmelada
Manda-chuva bobeou leva chumbo
Trabalhador paga os pecados do mundo"

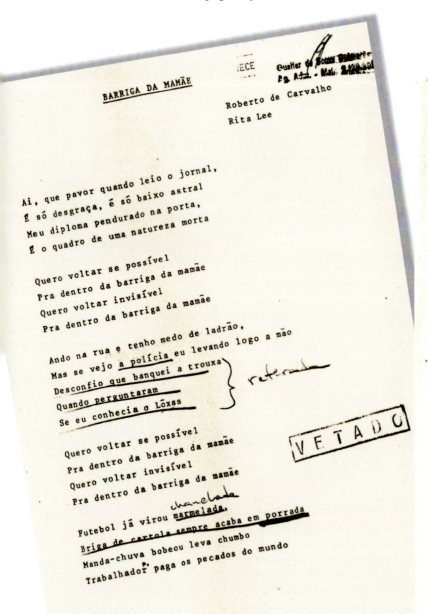

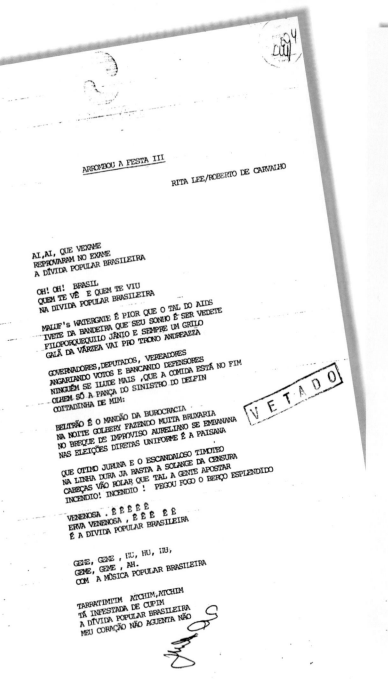

ARROMBOU A FESTA III/ ARROMBOU O COFRE (1983)

A letra de *Arrombou o Cofre* – que chegou a ser enviada aos censores com o nome de *Arrombou a Festa III* e era diferente da versão gravada (vide documento) - causou arrepios nos "técnicos". No primeiro parecer, dizem: "A letra musical *Arrombou a festa III* de autoria de Rita Lee e Roberto de Carvalho apresenta todo um contexto crítico que denigre imagens de nossas autoridades vigentes".

As declarações seguintes pioram o cenário: "Em tom de deboche, tece críticas à situação política e econômica brasileira, além de dirigir ataques ofensivos e nominais a autoridades constituídas".

Reescrita e já com o nome de *Arrombou o Cofre*, um novo recurso foi pedido. De nada adiantou. "Mantenho a interdição da letra musical, considerando que seus versos, de linguagem depreciativa e ofensiva, ridicularizam diretamente autoridades constituídas". Outro censor acrescenta: "A reintitulação não mudou o fraseado. Trata-se de composição contendo críticas de cunho político que descambam para o insulto

Nº 09/OD/CSC/83
PROCESSO Nº 007536/DCDP
LETRA DA MÚSICA: ARROMBOU A FESTA III
RECORRENTE: SIGLA-Sistema Globo de Gravações Audio-Visuais Ltda.
RECORRIDA: Chefe do Gabinete, por delegação do DG/DPF
RELATOR: Subprocurador-Geral da República OSVALDO FLAVIO DEGRAZIA

As decisões singulares de primeiro grau vetaram a letra da música "ARROMBOU A FESTA III", depois reintitulada em "ARROMBOU O COFRE", da autoria de Rita Lee e Roberto de Carvalho.

A reintitulação não mudou o fraseado.

Trata-se de composição contendo críticas de cunho político que descambam para o insulto de personalidades públicas como suas excelências os deputados Ivete Vargas e Paulo Maluf, Ministros Beltrão, Mário Andreazza, e Delfim Neto, do General Golbery do Couto e Silva, do Vice-Presidente Aureliano Chaves e dos senhores Jânio Quadros e Solange.

Do texto se depreende a existência de injúria direta, consistente na ridicularização de alguns personagens políticos.

Constata-se também o comparecimento de calúnia nas referências ao Deputado Maluf, ligando-o ao caso Luftfalla, do qual nada resultou de apurado como crime.

Nº 09/OD/CSC/83

Também, há calúnias disseminadas contra Governadores, deputados e vereadores quando os transforma em possíveis assaltantes de bancos (ver 1º e 2º versos, da 2ª estrofe).

Nos versos finais:

"Cabeças vão rolar que tal agente apostar Incêndio! Incêndio! Pegou fogo o berço esplêndido."

Há nítida incitação à rebelião popular, o que é vedado no § 8º, do art. 153, da Constituição Federal, constituindo infração à Lei de Segurança Nacional.

Pelas razões expostas, opino pela manutenção integral do veto aposto pela instância a quo.

Brasília, 11 de outubro de 1983

OSVALDO FLAVIO DEGRAZIA
Subprocurador-Geral da República
Relator

tms.

---

de personalidades públicas como suas excelências, os deputados Ivete Vargas e Paulo Maluf, Ministros Beltrão, Mário Andreazza, e Delfim Neto, o General Golbery do Couto e Silva, o Vice-Presidente Aureliano Chaves e os senhores Jânio Quadros e Solange (...) Também há calúnias disseminadas contra governadores, deputados e vereadores quando os transforma em possíveis assaltantes de bancos".

Quer mais? Em trecho que chega a ser surreal, Rita é considerada incitadora de rebelião popular. "Nos versos finais: 'Cabeças vão rolar que tal a gente apostar/Incêndio! Incêndio! Pegou fogo o berço esplêndido.' Há nítida incitação à rebelião popular, o que é vedado no § 8º, do art. 153, da Constituição Federal, constituindo infração à Lei de Segurança Nacional".

Mesmo com o veto, Rita e Roberto gravaram a música no disco *Bombom* (1983). Algumas tiragens chegaram a ter a faixa riscada (assim como *Degustação*, outra música vetada) e o álbum foi proibido para menores de 18 anos.

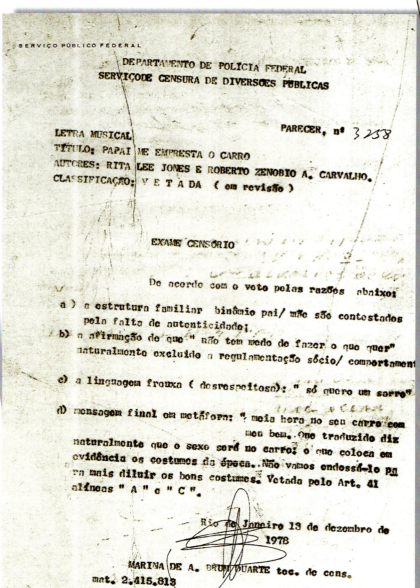

E AINDA TEM MAIS

É assustador notar a quantidade de material com o nome de Rita nos arquivos. Por isso, aqui faremos um passeio por alguns deles, como a música *Prometida*, uma das primeiras parcerias de Rita e Roberto de Carvalho, de 1978, que permaneceu vetada e não foi lançada. Uma pena, já que pelo texto percebemos que ela chegou a ser gravada, uma vez que alguns censores exigiam uma fita com a canção. "A letra tem mensagem erótico sexual que se acentua pelo ritmo (ouvida a gravação) e vocábulos agressivos naquela área, tais como: 'bico', 'vou meter a mão', 'cama', 'descascar seu caroço' etc.". Sim, como podemos notar, "cama" era uma palavra proibida. E, sim, também perguntei à Rita sobre a gravação dessa canção e ela não faz a menor ideia de onde tenha ido parar.

Outra proibida da mesma época, e que teve a sorte de ter sido liberada, é *Papai Me Empresta o Carro*. O tal exame censório traz o seguinte texto (mantendo os erros ortográficos, de coesão e coerência do documento):

"a) a estrutura familiar binômio pai/ mãe são contestados (sic) pela falta de autenticidade;

b) a afirmação de que 'não tem medo de fazer o que quer' naturalmente excluído (sic) a regulamentação sócio/ comportamental;

c) a linguagem frouxa (desrespeitoso): 'só quero um sarro';

d) mensagem final em metáfora: 'meia hora no seu carro com meu bem.' Que traduzido diz naturalmente que o sexo será no carro: o que coloca em

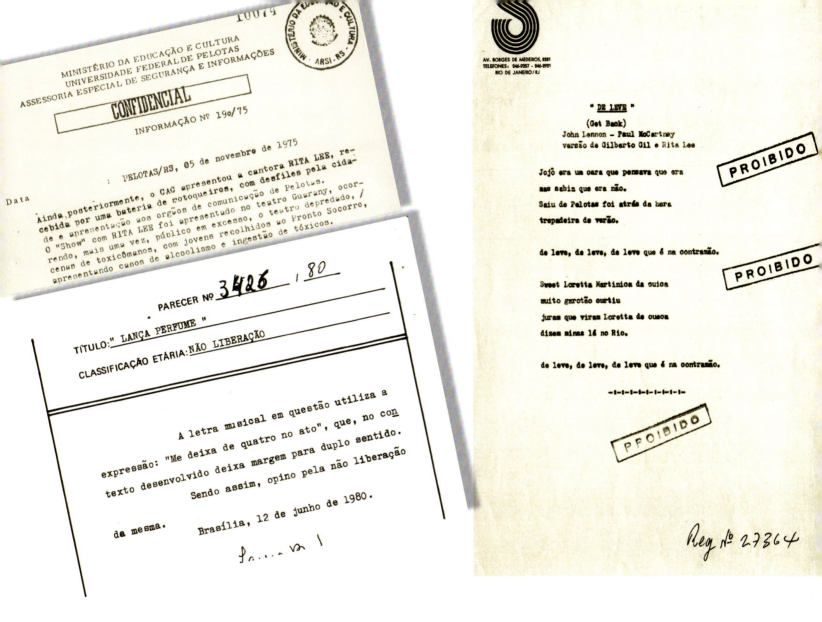

evidência os costumes da época. Não vamos endossá-lo para mais diluir os bons costumes."

Um ano antes, em 1977, outra música barrada foi *De Leve*, versão de Rita e Gilberto Gil para *Get Back*, dos Beatles. Eles a cantavam no show Refestança. Acabou integrando o disco gravado ao vivo, mas não se podia tocar na rádio ou na TV. "A referida letra musical enfoca de maneira maliciosa, vulgar e deseducativa o tema 'Homossexualixmo' (sic), não se coadunando com a veículo de comunicação a que se destina", diz o texto. O trecho da música a que eles se referem é o seguinte:

"Sweet Loretta Martinica na cuíca
Muito garotão curtiu
Juram que viram Loretta de cueca
Dizem minas lá no Rio"

Lança Perfume, a música mais tocada de 1980, também enfrentou problemas antes de sua liberação. A justificativa? "A letra musical em questão utiliza a expressão: 'Me deixa de quatro no ato', que, no contexto desenvolvido, deixa margem para duplo sentido. Sendo assim, opino pela não liberação da mesma."

E nem só de letras proibidas vivia Rita nas pastas da ditadura. Entre os censores, levava-se tão a sério a fama de má que ela tinha que até seus passos eram seguidos com requintes de roteiro de filme de Hollywood. Prova é que um dos documentos descreve a "escandalosa" passagem dela por Pelotas, em 1975. Os trechos aqui apresentados são a reprodução na íntegra de documentos, como estão nos originais: "... o CAC (Centro de Arte e Cultura) apresentou a cantora Rita Lee, recebida por uma bateria de motoqueiros, com desfiles pela cidade e apresentação aos órgãos de comunicação de Pelotas. O 'show' com Rita Lee foi apresentado no teatro Guarany, ocorrendo, mais uma vez, público em excesso, o teatro depredado, cenas de toxicômanos, com jovens recolhidos ao Pronto Socorro, apresentando casos de alcoolismo e ingestão de tóxicos".

No fim, toda essa atenção por parte dos órgãos do governo só atesta o que a gente já sabe: a importância e a popularidade de Rita. Sem falar na rara característica de passar sua mensagem para tanta gente diferente e de idades tão diversas. Por mim, eu mudaria o título de "Dossiê Rita perigosa" para "Dossiê Rita genial". Se quiser, pode riscar lá em cima, aqui é tudo liberado. Para fechar o assunto, vou adaptar uma das proibidas: ainda bem que ela não desistiu dessa vida louca. Os censores passam, sua obra fica.

Fotos para o álbum *3001* (2000)

Fotos de 1997; nas páginas anteriores, contact sheet da mesma sessão

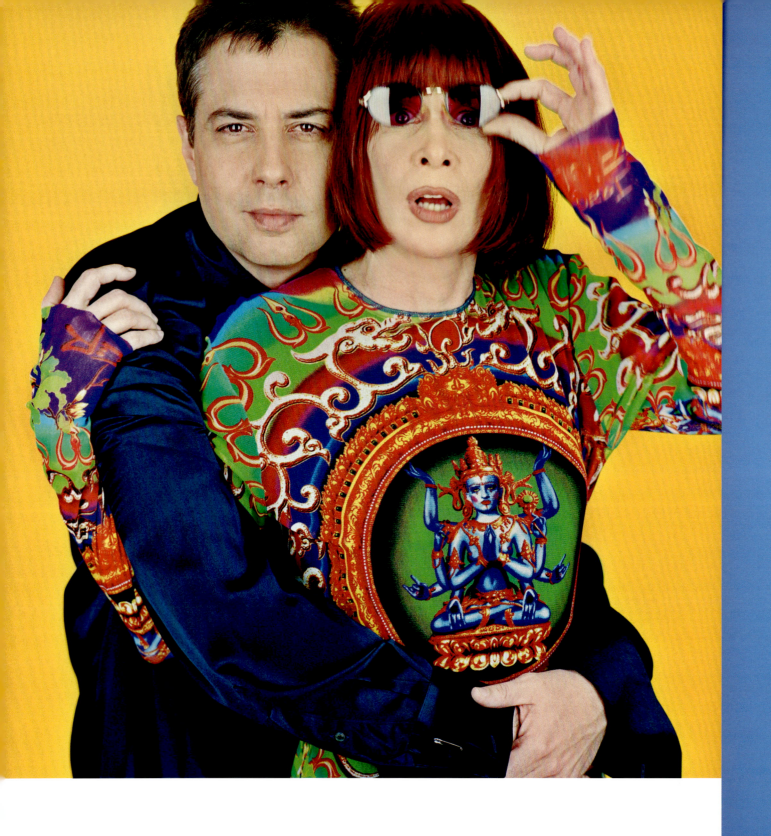

No início dos 80

Fotos de 1976

AS PERSONAS QUE ME HABITAM

Gungun Lucia do Amaral

Criança pentelha rejeitada por todos que a cercam, apresenta evidentes sintomas psicopáticos. Desde que baixou em mim, coisa de 50 anos atrás, ela não cresce e declara-se com três anos e meio incompletos. Jura que vê aparições de Nossa Senhora, se considera superior a todas as crianças por se dizer filha da princesa Diana, é dada a convulsões quando contrariada, foi o terror dos meus filhos quando pequenos, lhes roubando brinquedos e sendo hostil a seus amiguinhos. Odeia bichos, é fofoqueira, decapita bonecas da minha neta e fala barbaridades aos adultos. Gungun é uma menina anticristo da qual se consegue tudo através do dinheiro, imagino que, se um dia crescer, certamente será uma Bette Davis em *What Ever Happened To Baby Jane?*.

Regina Celia Di Macedo Soares

A idade de Gininha, como é conhecida, é uma incógnita. Sabe-se que teve um caso com Getúlio e viveu na Áustria durante a Segunda Guerra e, como se poderia esperar, é nazista, racista, gosta de rapazes loiros, fortes e despreza crianças. Costuma esculhambar mulheres jovens e bonitas, tem verdadeira ojeriza à Rita Lee, casada com seu sobrinho, e refere-se a ela sempre como "aquela cantorinha", além de chamar Bibi Ferreira de "aquela garota filha de Procópio". Gininha adora contar histórias de sua vida boa na Europa, cercada por generais do "querido Führer", onde participava de recitais de piano, e de quando estava em companhia de Niemeyer e Juscelino o convidou para arquitetar a nova capital. Gininha é a Forrest Gump da história brasileira.

Anibal Cantídio Fagundes Wenceslau de Gusmão

É o mais antigo das personas. Começou como um cachorro de Mary, minha irmã mais velha, que ao ver a caçula dando escândalo no chuveiro, o apelidou de Totó sem Banho. Aos poucos o cachorro foi se transformando num malandro cafajeste que trabalha numa oficina mecânica e canta a mulherada que passa. Anibal tem o mesmo *physique du rôle* de Joel de Almeida, um sambista das antigas bem franzino, bigodinho fininho e chapéu palheta. Sua noiva Rosinha nunca apareceu, muitos dizem que ela seria só um pretexto para sair de cena quando alguma mulher o põe contra a parede para casar. É apaixonado e correspondido por Gal Gosta e Maria Bethânia e se diz o verdadeiro compositor das músicas de Gilberto Gil.

O animal

Pode ser uma abelha, um dinossauro, um coelho, um ornitorrinco, macho, fêmea, tudo depende da capacidade deste multianimal de se transformar num segundo, conforme a paisagem se apresenta ao redor. Para se comunicar, o bicho fala num dialeto próprio, misturando línguas diferentes, está sempre de bom humor e não entende por que humanos agem como se fossem os donos do planeta. Alguns acham que é o amigo invisível que todas as crianças gostariam de ter como pet, outros, que deve ter fugido de um circo de *freaks*, outros ainda, que é extraterrestre. Quem mais convive com o animal é o menino Eio que "baixa" em Roberto e o chama de Branny; ambos são personagens inseparáveis que vivenciam no cotidiano cenas que dariam um bom comix.

Como Anibal, no programa *TVLeezão*

"Eu amo tanto a Rita. Eu acho a Rita uma menina bárbara. Adoro ir aos shows dela e me sinto muito bem com aqueles jovens, com a energia dela e do público dela. A Rita ensina muita coisa para a juventude. E acho que para os mais velhos também. Eu, por exemplo, aprendo com ela. Sempre amei cachorro, todos os bichos, mas não pensava que eles sofriam tantos maus-tratos, sabe? Agora fico mais alerta. Leio tudo sobre ela, ouço tudo o que ela lança. Gosto quando ela me chama para cantar nos espetáculos dela quando estou na plateia. E eu vibro, aplaudo. Eu sempre peço para cantar Só de Você, é a minha preferida. Mas nesse disco eu gravei Saúde, que tem uma letra bárbara, irreverente e tem a ver com esse meu momento."

Hebe Camargo
*depoimento de outubro de 2010,
quando lançava o CD Hebe Mulher*

Grávida do Beto, no Ibirapuera, em 1976

70's

Look borboleta no *Som Livre Exportação* (1970)

Esta foto é de quando tentei trabalhar em um escritório nos 60's. O sutiã estava cheio de meias de nylon.

Sessão de fotos no bairro da Vila Madalena, em SP, para o disco *Zona Zen* (1988)

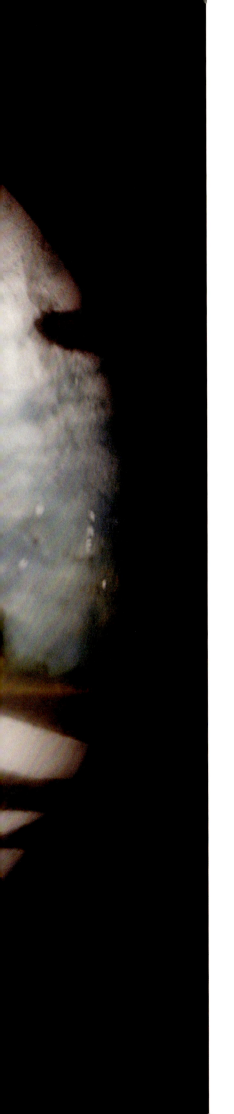

FALANDO COM DEUS

Se você quiser falar com Deus, observe um animal e ele lhe revelará a existência da pureza espiritual em forma bruta, em que não há a pretensão de se dizer imagem e semelhança de um ser superior: ele é o elo perdido entre anjos e humanos, uma criatura evoluída integrada às leis da Mãe Natureza do planeta.

Se quiser falar com Deus, observe o respeito com que um animal trata suas crias, como ele só mata outro quando tem fome, como vive intensamente o presente sem saber que um dia morrerá.

Se quiser falar com Deus, observe a graça de um filhote brincando, o olhar bondoso de uma vaca, a agilidade de um tigre, a ligeireza de um macaco, a altivez de um cavalo, a fofura de um bebê elefante e aprenda como é bonito apenas se deixar existir dentro do próprio propósito.

Se quiser falar com Deus, observe seu cachorro dormindo ao seu lado, sonhando que está correndo num gramado, o gato que vem delicadamente amassar pãozinho na sua barriga, o prazer do jabuti comendo uma fruta que você lhe oferece, o porquinho que brinca de pega-pega, o pato que vem lhe abraçar, o ratinho espevitado girando na rodinha, os pulinhos do coelho e perceba como sua vida seria incompleta sem a rica presença deles.

Se quiser falar com Deus, adote um bichinho e conheça o que significa receber um amor incondicional em troca de uma comidinha e um pouco de carinho. Na companhia de seu melhor amigo, você vai percorrer a trajetória da vida. Ele é aquele que não o julga, que não reclama de política, que não sabe se você é rico ou pobre, que o ama sem cobranças.

Se quiser falar com Deus, aprenda com os animais a ser um ser divino.

P.S.: **Gato preto dá uma baita sorte.**

Ziggy ao piano

Dando um guenta em Martha

Danny, minha filha-irmã-best friend

Alex foi um ratinho que salvei do Instituto Biológico e que se tornou meu companheirinho por 3 anos, me inspirando a escrever suas aventuras.

Na estampa da calça, "por que usar bichos mortos?", frase contra o uso de peles, couro e produtos derivados de animais.

Desde que apareceu no mundo do cinema, La Bardot me hipnotiza com sua beleza ensolarada. Minha paixão aumentou quando começou a usar sua fama chamando a atenção do mundo para a causa dos animais. Num momento bwana bwana, dedico-lhe esta pequena oração.

SANTA BB

Douce Déesse Bardot
Ainda mais linda por defenderes les animaux
Obrigada pelo desapego, elegância e coragem
Com que trocastes os holofotes mundanos
Para dar voz a quem não pode se defender
Por saberes cachorrês, gatês e todos os dialetos
Daqueles que não falam a língua dos humanos
Mãe gentil dos irmãos de quatro patas
Obrigada, Rainha Diva Estrela Maior
Por tua inigualável e majestosa beleza
Em tua reclusão és nossa musa inspiração
Dedicando tua graça aos seres mais puros do planeta
Abençoada sejas por toda a eternidade
Por teus pensamentos, palavras e ações divinais
Diante da ignorância e covardia dos homens
Combatendo com tua sabedoria a defesa dos animais
Bendita sejas, Santa BB
Pelos séculos dos séculos, amém

Arte de Rita sobre foto de Brigitte

Os manos-paixões Pingo e Mike

NIKITA E SUA MÃE

Alex dormindo com um amiguinho

Gambá e Ritinha numa tarde ensolarada

O PALCO, A ESTRADA

Subir num palco era igual a descer cada vez num planeta diferente: como será que os nativos me receberiam? Não me lembro de ter sofrido nenhum tipo de agressão popular, tirando Darth Vader, que às vezes invadia o local em nome dos maus costumes, fora isso era só carinho e respeito. E não dava para ser diferente, uma vez que minha intenção primeira era divertir os humanos enquanto me divertia também. O prazer de ter prazer comigo lá no papel da ET boba da corte.

Palco não era palanque para discursar sobre as mazelas do planeta: enquanto o povo estivesse lá, me assistindo, eu queria mais era cantar e os males espantar, meu único compromisso seria oferecer um entretenimento puro e sem gelo, feliz e colorido, louco e ousado.

Lembro que nunca usei leis de incentivo cultural para partir em turnê com meu disco voador. Saíamos pelas estrelas sem um puto no bolso e quem sempre nos salvava era a bilheteria. Saudade do palco? Não, mas valeu enquanto durou. Hoje, meu planeta é minha casa.

Imagens da turnê
Fruto Proibido (1975)

O show *Fruto Proibido*: à esquerda, o violão folk modelo Rita Lee

Bastidores e palco em 1977: *Refestança*, com Gilberto Gil

BABILÔNIA, O SHOW

O ano era 1978. E o show, *Babilônia*, marcou para sempre o estilo inconfundível e único de Rita nos palcos. Ela, que sempre esteve atenta a figurinos e roteiros para seus espetáculos, dessa vez trouxe algo jamais visto por aqui: um show com direito a diversas trocas de roupas, cenário especial, iluminação e som de primeira, tudo costurado por um roteiro digno de teatro para apresentar as canções de seu novo disco na época. A teatralidade de Rita já dava pinta desde a época dos Mutantes, com sua fixação por figurinos, e já tinha sido notada também em momentos incríveis em turnês como a do disco *Fruto Proibido* (1975). Mas achou sua forma em *Babilônia*. Para apresentar canções como *Eu e Meu Gato*, *Ambição*, *Modinha*, *Jardins da Babilônia*, *Agora é Moda* e o grand finale com *Miss Brasil 2000*, Rita teve a luxuosa colaboração de Barbara Hulanicki - estilista polonesa que revolucionou a moda na Inglaterra ao lançar a marca Biba. E é ela quem fala um pouco sobre os figurinos, que vemos nas páginas a seguir, bem como sobre a experiência de trabalhar com Rita:

"Rita... tenho tantas lembranças deliciosas de Rita e de seu marido, Roberto. Eles foram tão abertos e generosos quando conversamos sobre o que eles queriam para o show. Adoraria ter fotos da criação dos figurinos em meu estúdio, quando as costureiras tentavam lidar com montes de tecido fúcsia! Claro que Rita, com aquele corpo maravilhoso, conseguia usar todos os figurinos divertidos. O show era incrível e foi um grande sucesso. Hoje, penso que gostaria muito de ter gravado tudo em vídeo, mas eram dias em que a gente nem carregava câmeras. É uma pena, seria ótimo relembrar o tempo delicioso e tão divertido que tive com ela." BARBARA HULANICKI, ESTILISTA

Experimentando o figurino de *Agora é Moda*

Gininha é flagrada provando uma das roupas do show no camarim

Visita de Beto aos bastidores de *Babilônia*

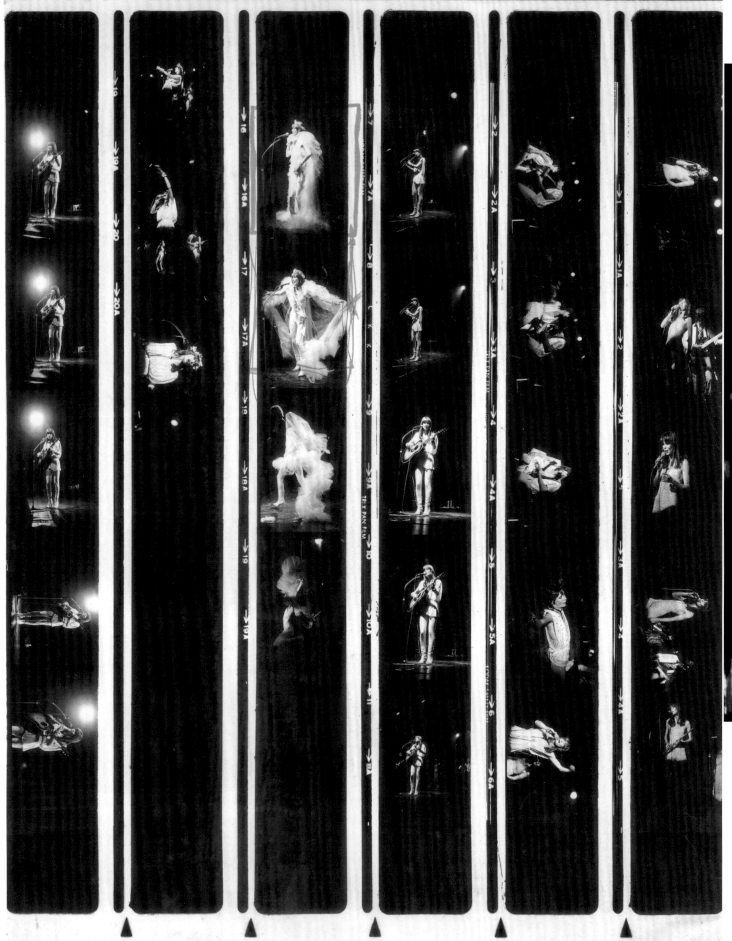

Tudo de pelúcia para cantar *Eu e Meu Gato*

Agora é Moda (à esquerda) e *Ambição*

Eu e Meu Gato

"Eu vi a Rita Lee lamber o microfone. Passei anos da minha vida com vontade de fazer isso e com medo de ser eletrocutada."
Elis Regina

O carinho dos fãs na saída de um dos shows

À direita, gravação do especial Rita Lee Jones (1980), da Globo; abaixo, a foto que era enviada aos fãs que escreviam para ela na mesma época.

Lança Perfume, o show (1980)

Curiosidades da turnê Lança Perfume: foi a primeira vez com o microfone sem fio, o que causou estranheza em alguns; um extintor era usado durante a música que dava nome ao show.

82/83: *Jardins da Babilônia* (acima) e vestida como palhaço

Tour 82/83: Só de Você em cima do piano

Em Brasília, no show da turnê 82/83, a garotada derrubou a grade que separava o público do palco e chegou pertinho na maior alegria. Aconteceu no estádio Pelezão, que hoje nem existe mais.

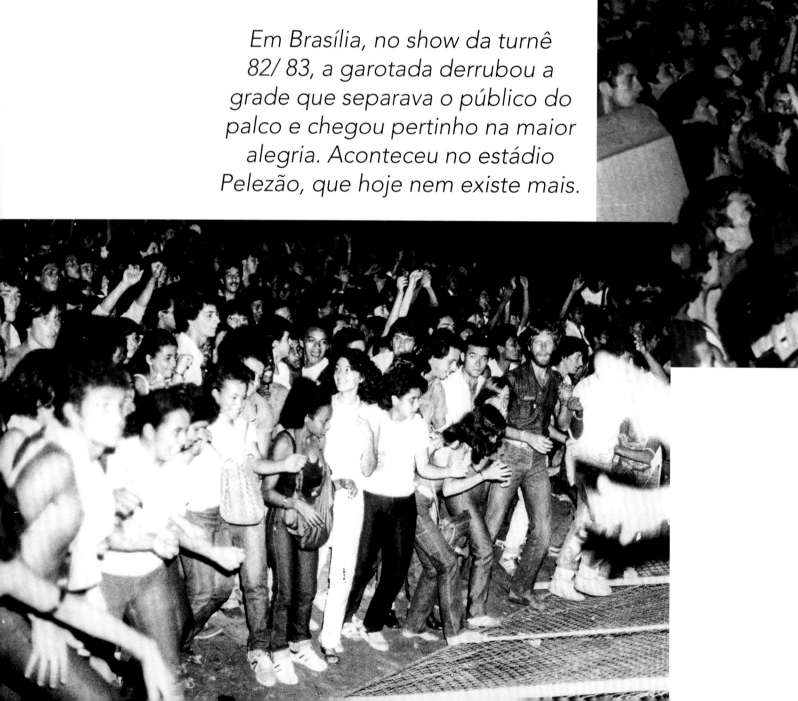

O corset de peitões falsos de *Cor-de-rosa Choque*

Show de encerramento da turnê 82/83 no Maracanãzinho: foi apresentado em 25 cidades, com público superior a meio milhão.

Com Roberto, em festa na piscina do Copacabana Palace para celebrar o contrato com a gravadora EMI (1986). Até parecia comportada, com um modelito Patricio Bisso, todo de tule azul... Vire a página pra ver o que aconteceu

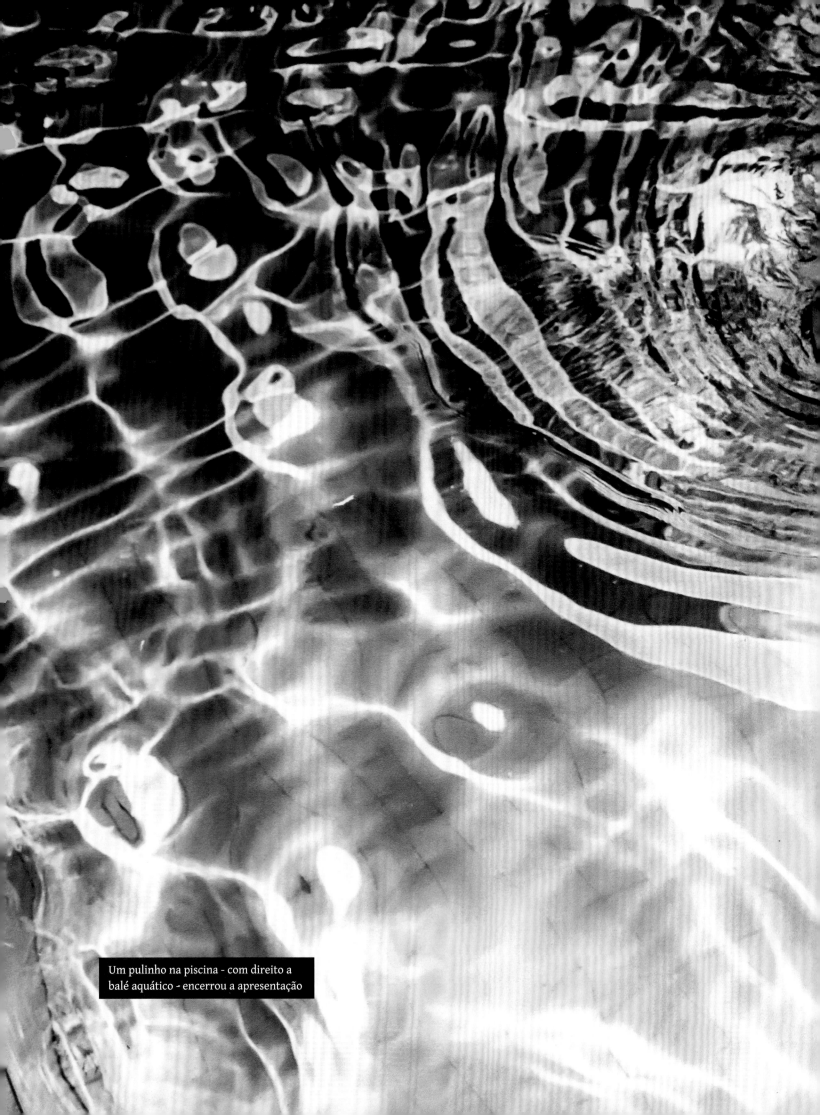

Um pulinho na piscina - com direito a balé aquático - encerrou a apresentação

Bossa'n Roll, no início dos anos 90: pioneira dos acústicos

O icônico figurino tattoo, de 1995: no palco e nos bastidores

Vestida como Nossa Senhora Aparecida no Hollywood Rock (1995)

A MARCA DA ZORRA

A Zorra viajou o Brasil todo em 1995, com grandes espetáculos em ginásios e estádios. A turnê, de Rita & Roberto, revisitou a brilhante carreira da nossa roqueira-mor, contemplando todas as suas fases e incluindo um roteiro de deixar todos os fãs babando. Me incluo nessa babação. Era uma surpresa atrás da outra. Tudo era motivo de comentário, a começar pelo cabelo - repicado e bagunçado - de Rita. A troca de cenários e de figurinos dava o tom de teatro e arrebatava a plateia: uma rainha vampiresca oferecia as boas-vindas com a inédita *A Marca da Zorra*; a majestade dark levitava com seu manto; uma aparição fantasmagórica assombrava o palco; uma misteriosa figura atirava contra um helicóptero e uma boba da corte se revelava no grande final. De tirar o fôlego! Entre as músicas escolhidas, clássicos como *Dançar Pra Não Dançar*, *Todas As Mulheres do Mundo*, *Filho Meu*, *Vítima*, *Ovelha Negra*, *Orra Meu*, *Mania de Você* e *Miss Brasil 2000*. A turnê acabou se tornando uma das favoritas dos fãs e foi lançada em disco ao vivo.

Figurino de abertura, da música *A Marca da Zorra*

Na bateria, durante a apresentação de *Papai Me Empresta o Carro*

A boba da corte de *Orra Meu*

Turnê Santa Rita de Sampa (1997)

A entrada de *Yê Yê Yê de Bamba* (2002)

Durante show lotado no Luna Park, em Buenos Aires (2002)

*A turnê Balacobaco teve
um show histórico em 2004,
na comemoração dos 450 anos
de São Paulo: mais de 200 mil
pessoas, debaixo de chuva,
no Vale do Anhangabaú.
Rita desceu do palco para
cumprimentar os fãs.*

Erva Venenosa no show dos 450 anos de SP, em 2004

Momento disco com *Corre Corre/ Bad Girls* na turnê *Pic Nic* (2008)

OS PRINCIPAIS TRABALHOS DE RITA EM
RÁDIO, TELEVISÃO, CINEMA, MUITO MAIS!

TV

O Pequeno Mundo de Ronnie Von (1966, Record).
Divino Maravilhoso (1968, Tupi).
Malu Mulher (1979, Globo): como Rita Lee.
Cida, a Gata Roqueira (1986, Globo): como fada Sunda Morgana.
Top Model (1989, Globo): como Maria Regina, a Belatrix.
Vamp (1991, Globo): como Lita Ree.
TVLeezão (1991, MTV): apresentadora.
Sai de Baixo (1997, Globo): como Scarlet Antibes.
Saia Justa (2002/2004, GNT): apresentadora.
Celebridade (2003, Globo): como Rita Lee.
Madame Lee (2005, GNT): apresentadora, ao lado de Roberto de Carvalho.
Ti Ti Ti (2010, Globo): como Rita Lee.
Manual para se Defender de Aliens, Ninjas e Zumbis (2017, Warner): como alienígena Grão Mestre e Chanceller.

TVLeezão

Top Model

Manual Para Se Defender de Aliens, Ninjas e Zumbis

Vamp

Com a turma do *Sai de Baixo*

Celebridade, com Malu Mader

Especiais de TV

Rita Lee Jones (1980, Globo).
Saúde (1981, Globo).
O Circo (1982, Globo).
Rita Lee e Roberto de Carvalho (1985, Globo).
Rita Lee e Roberto Tour 87/88 (1987, Rede Manchete).
A Marca da Zorra (1995, Globo).
3001 (2000, Band).
Acústico (1998, MTV).
MTV Ao Vivo (2004, MTV)
Multishow Ao Vivo (2009, Multishow).

Rádio

Radioamador (1986): apresentadora.

Teatro

O Planeta dos Mutantes (1969).
Nhô Look (1970): musical.
Build Up Eletronic Fashion Show (1970): musical.

Especial Rita & Roberto

Dias Melhores Virão

Cinema

As Amorosas (1968): com Os Mutantes.
Fogo e Paixão (1988): como a mulher fazendo piquenique no meio da Avenida Paulista, ao lado de Roberto.
Dias Melhores Virão (1989): como Mary Shadow.
Tanta Estrela Por Aí... (1994): como Raul Seixas.
Durval Discos (2002): como Tia Julieta.
Wood & Stock: Sexo, Orégano e Rock'n'Roll (2006): como Rê Bordosa (voz).
Minhocas (2013): como Martha (voz).

Fogo e Paixão, com Roberto de Carvalho

FIGURINOS
ESPECIAIS

Nos anos 80, Rita encontrou um parceiro de "pirações figurinísticas" pra lá de especial: Patricio Bisso. O artista argentino - cool e cult no Brasil - esteve presente em diversos momentos da carreira de Rita. É dele a criação da roupa de Mamãe Noel do *TVLeezão* (1990 - 1991, MTV) assim como grande parte do figurino do especial *Rita e Roberto* (1985, TV Globo). Um dos momentos preferidos dos fãs é a encarnação da Gloria F: na música, a personagem pula do Viaduto do Chá, é reconstruída por um doutor maluco e volta com um bumbum avantajado, seios turbinados e cabelos negros desconectados. Aqui está o croqui inédito de Patricio e um depoimento dele, que voltou a viver em Buenos Aires.

"Eu sou um DESENHISTA que gosta de transformar os atores em desenhos vivos. Detesto essa mania que existe agora de ENSAIO-GERAL com todas as roupas prontas. Para mim, as roupas têm de estrear na mesma hora em que a peça estreia, os atores têm que se surpreender com as suas vestimentas do mesmo jeito que o público se surpreende com o espetáculo. Que história é essa de saber se são capazes de fazer esse ou aquele outro movimento? Tem que fazer - e pronto. A RITA na época do TVLeezão, tinha pedido uma roupa de MAMÃE NOEL, e eu botei uma peruca loira enorme, com um cone vermelho no topo, que cismava em cair toda hora. Mas ela, sempre profissional, deixava a cabeça durinha, e se mexia com o corpo todo, ao contrário de muitas figurantezinhas que reclamariam na hora do peso e fariam um movimento de cabeça, derrubando o BOLO DE NOIVA todo. Por isso, a RITA é quem é, e aquelas figurantezinhas, com sorte, algum dia vão dizer "o jantar está servido". E olhe lá. Pensando bem, deveria ter enfiado um dos meus famosos laçarotes no topo do penteado, e só. Mas agora já foi..."
PATRICIO BISSO

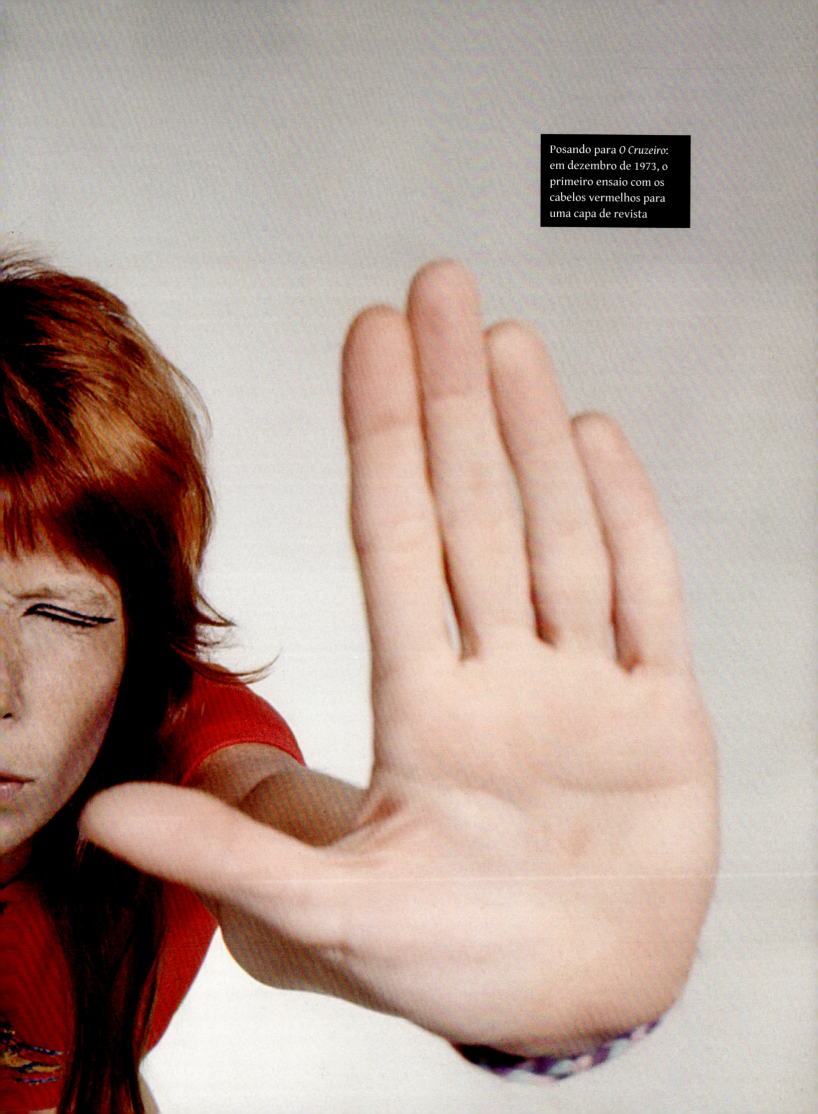

Posando para *O Cruzeiro*: em dezembro de 1973, o primeiro ensaio com os cabelos vermelhos para uma capa de revista

Em 2012, o último ensaio com o cabelo vermelhão

RITZZZ

Falo sozinha com as paredes, minhas caras ouvintes, e também levo altos papos telepáticos com meus bichos, quero um dia ser conhecida como a velha louca dos gatos, cachorros, jabutis e carpas. Além do mais, economizo uma boa grana ficando longe de psiquiatras que ligam o piloto automático ouvindo nossas aflições e receitam drogas "boazinhas" do establishment. Conversando comigo mesma, resolvo questões imediatas, assim como exorcizo pendengas do passado que volta e meia tentam me assombrar. Falar sozinha é a melhor oração, posso afirmar que chego a ótimos resultados recuperando autoestima, superando noias e neutralizando complexos de inferioridade. Fale alto que o universo te escuta. Isto é o que eu chamo de autoajuda.

Desde pequena pratico o autocanibalismo nas mãos, as unhas deixo-as em paz, mas não resisto a puxar aquelas pelinhas que circundam cada dedo, e quando exagero e sangram é quase um orgasmo. Houve uma época em que escondia as mãos para não pensarem que eu tinha alguma doença, tamanho estrago. Muitas vezes me apresentei em shows usando esparadrapo nos dedos mais comidos, o que dificultava tocar guitarra, mas evitava mostrá-los em carne viva a quem ficava próximo ao palco. Quando a coisa se tornava indisfarçável, para atenuar o vermelhidão, eu às vezes os maquiava, mas bastava suar para que a base derretesse e manchasse a roupa que estava usando, daí que raramente eu usava branco. Meu pecado da gula é não resistir a uma pelinha solta dando pinta de apetitosa.

I had a dream... Sonhei que estava paramentada com jaqueta e touca imaculadamente brancas, preparando gulodices, mil e um temperos supimpas enquanto ornamentava os pratos com requintes de uma chef de cuisine, e quem degustava minha comida entrava em transe e levitava, tamanha ambrosia miraculosa. Acordei e com muito custo consegui fazer ovos mexidos sem deixar cair nenhuma casquinha na frigideira. Uma das minhas maiores ambições é um dia entrar de cabeça erguida numa cozinha e arrasar no arroz, feijão, farofa, batata frita e salada de alface.

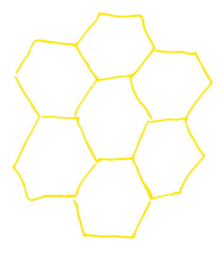

38 anos depois: revisita ao figurino criado pela estilista americana Norma Kamali para a capa do clássico Lança Perfume (1980). Uma curiosidade: ao contrário do que muitos pensam, a roupa não é um macacão, mas um conjunto de calça e blusa.

Ensaio de 2016: paz, amor, bichos e horta

"Rita, bonita, linda. Vi uma foto sua de cabelo branco... Que tesão, menina! Se eu fosse homem, te comia! Você sempre foi um ser superior. Você sabe que a gente tem que vir para o mundo para evoluir. E isso é muito especial. Assim como você. Axé para você e até sempre. Sempre, sempre, sempre..."
Elke Maravilha
em depoimento de setembro de 2015

RITA, A SUPERSTAR

Este livro é uma deliciosa amostra do colorido de Rita Lee. Afinal, o que seria do mundo sem ela? Sem grandes planos de marketing, seguindo o coração e a intuição, ela saiu do bairro da Vila Mariana, em São Paulo, para chacoalhar este planetinha, plantando sementes de questionamentos, cores e de muito amor.

Rita ousou ser a diferente. A esquisitinha. Meio menina, meio menino. Nem um nem outro. Rita transportou para suas músicas sentimentos complexos. Sua obra é um compêndio de segredos da vida. E os antenados logo descobriram que, em Rita, poderiam entender que ser a ovelha negra não é de todo ruim. Em tantos momentos, ela fez jus ao título que não teve em casa: se o pai nunca a chamou de ovelha negra, o mundo por diversas vezes o fez. Ela já teve cara de bandido - como todo bom roqueiro de épocas passadas -, já questionou o inquestionável. Já deixou o establishment de cabelo em pé.

Anos luz à frente de seu tempo, hoje a gente consegue sacar: ela é uma divindade. Uma santinha popular, praticamente uma Izildinha padroeira dos rebeldes (com e sem causa). Abriu caminhos, ruas e avenidas. O legado desta paulistana porreta é inegável. Cultural e socialmente, deixou sua marca (da Zorra) neste planeta. Com ecos no universo.

Tenho certeza de que, lá em cima, naquela estrelinha brilhante, ETs bacanas chacoalham e namoram - telepaticamente - ao som de Rita.

Sorte a deles, sorte a nossa.

Ah, temos uma surpresa para vocês que nos acompanharam até aqui, com uma bonequinha "recorta e dobra", daquelas que eram populares décadas atrás, que ilustra alguns dos figurinos mais icônicos da nossa favoRita.

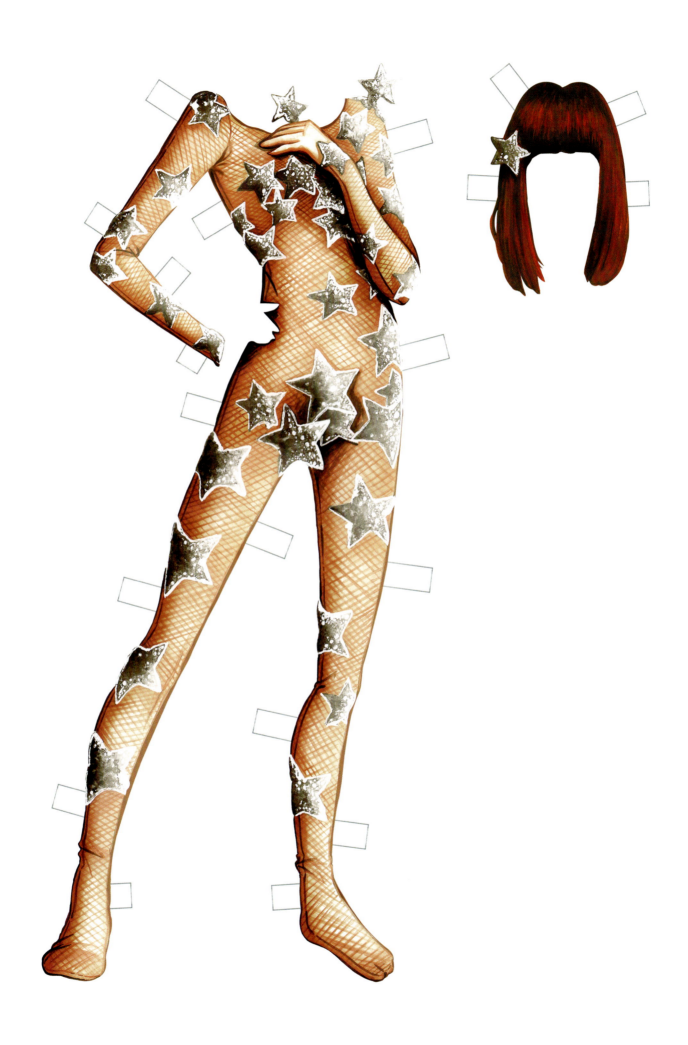

ENSAIO favoRita 2018

Guilherme Samora | Fotos
Guilherme Francini | Arte gráfica
Andréa Cassolari | Beleza

Macacão | Walério Araújo, especial para Rita
Coroa e anel | Igor Dadona
Sapato | Insecta Shoes

Quimono e vestido | Renata Buzzo

Blazer | Kansai Yamamoto, usado por Rita desde os anos 80, como no clipe de *On The Rocks* (1983) e em diversos shows

Vestido | Barbara Hullanicki para a turnê *Babilônia* (1978)
Óculos | Miguel Giannini

Fantasia de bruxa | Originalmente usada na turnê *3001*

Manto de Nossa Senhora Aparecida | Criado por Chico Spinoza a pedido de Rita, para o *Hollywood Rock* 1995

Conjunto | Norma Kamali para a capa de *Lança Perfume*

CRÉDITO DAS ILUSTRAÇÕES

Rita Lee | Páginas 4, 24 a 29 e 206.

Guilherme Francini | Páginas 182 e 183 (ritaleetoons).

Quihoma Isaac | Páginas 219 a 245 (paper doll).

CRÉDITO DAS FOTOS

Álbum de Rita Lee | Páginas 85, 86B, 87A, 88, 109, 110, 112, 124, 125, 127, 141, 142, 144A, 156, 158, 162, 164B, 168, 169A, 169B, 177, 184, 185A, 185B, 185D, 185E, 186A, 187, 188 e 189.
Arquivo de Maurício Pio Ruella | Página 93.
Bob Wolfenson | Páginas 62 a 83 e 104 a 106.
Beti Niemeyer | Páginas 143, 160, 161, 167, 170, 171, 172, 176 e 181.
Claudia Niemeyer | Página 91A e 91B.
Guilherme Samora | Páginas 53, 57, 86A, 113, 175, 185C e 208 a 217.
Indalécio Wanderley | Páginas 192 e 194.
Lincoln Baraccat | Páginas 116 a 119, 130 a 140, 144B, 145, 146, 147, 148B e 152 a 155.
Paulo Kawall Vasconcellos | Páginas 30 a 45; 94 a 103; 108, 114, 126, 128 e 148A.
Paulo Vainer | Páginas 196 a 205.
Vania Toledo | Páginas 4 a 15; 120, 121 e 123.
Cedoc Editora Globo | Páginas 87B, 87C, 90A, 90B, 92, 149, 174, 179, 186B e 191.
Agência O Globo | Página 165 (Marcos Issa).
DA Press | Páginas 150 e 151 (Juvenal Shintaku/CB).
Folhapress | Páginas 164A (Cesar Itiberê) e 180 (Sérgio Lima).

Os documentos da censura, mostrados entre as páginas 48 e 61, são mantidos pelo Arquivo Nacional.

Todos os esforços foram feitos para reconhecer os direitos autorais e de imagem das fotografias presentes nesta obra. A editora agradece qualquer informação relativa à autoria, titularidade e/ou outros dados que estejam incompletos nesta edição e se compromete a incluí-los nas futuras reimpressões.

Copyright © 2018 by Editora Globo S.A
Copyright © 2018 by Rita Lee
Todos os direitos reservados. Nenhuma parte desta edição pode ser utilizada ou reproduzida — em qualquer meio ou forma, seja mecânico ou eletrônico, fotocópia, gravação etc. — nem apropriada ou estocada em sistema de banco de dados sem a expressa autorização da editora.

Direção artística | Rita Lee
Concepção e projeto gráfico | Rita Lee e Guilherme Samora
Diretor executivo | Mauro Palermo
Editor responsável | Guilherme Samora
Editora assistente | Tamires Cianci von Atzingen
Foto de capa, Phantom e pesquisa iconográfica | Guilherme Samora
Artista gráfico e consultor de design | Guilherme Francini
Quarta capa | Vania Toledo
Tratamento de imagens | Momedio Nascimento
Revisão | Amanda Moura

Texto fixado conforme as regras do Acordo Ortográfico da Língua Portuguesa (Decreto Legislativo nº 54, de 1995).

Dados Internacionais de Catalogação na Publicação (CIP)
(Câmara Brasileira do Livro, SP, Brasil)

Jones, Rita Lee
  favoRita / Rita Lee Jones. -- São Paulo : Editora Globo, 2018.

  ISBN 978-85-250-6592-6

  1. Cantoras - Brasil - Autobiografia 2. Crônicas brasileiras
3. Fotografia - História - Obras ilustradas 4. Lee, Rita, 1947-
5. Pop rock - Brasil 6. Relacionamentos humanos-animais
7. Textos - Coletâneas I. Título.

18-15910   CDD-770.981

1ª edição, maio de 2018 — 1ª reimpressão, 2024

Editora Globo S.A.
Rua Marquês de Pombal, 25
20230-240 — Rio de Janeiro — RJ — Brasil
www.globolivros.com.br

Este livro, composto com as fontes Avenir e Gentium,
foi impresso em couché 115g/m² na gráfica Coan,
Tubarão, Brasil, maio de 2024.